Le livre de grand-papa

Texte: Francine Labrie
Illustrations: Marc Mongeau

À Guillaume, mon grand.
Francine

Pour Paul-Émile et Ernest.
Marc

Le raton laveur

Catalogage avant publication de Bibliothèque et Archives nationales du Québec et
Bibliothèque et Archives Canada

Labrie, Francine

   Le livre de grand-papa

   (Le raton laveur)
   Publ. à l'origine dans la coll.: Cheval masqué. Au pas. c2008.
   Pour enfants de 3 à 8 ans.

   ISBN 978-2-89579-399-1

   I. Mongeau, Marc. II. Titre. III. Collection: Raton laveur (Bayard (Firme)).

PS8623.A332L58 2011   jC843'.6   C2011-940818-X
PS9623.A332L58 2011

Dépôt légal – Bibliothèque et Archives nationales du Québec, 2011
Bibliothèque et Archives Canada, 2011

Direction : Paule Brière
Révision : Sophie Sainte-Marie
Graphisme : Mathilde Hébert

Nous reconnaissons l'aide financière du gouvernement du Canada par l'entremise du
Fonds du livre du Canada (FLC) pour des activités de développement de notre entreprise.

Conseil des Arts **Canada Council**
du Canada   **for the Arts**

Bayard Canada Livres inc. remercie le Conseil des Arts du Canada du soutien accordé à son
programme d'édition dans le cadre du Programme des subventions globales aux éditeurs.

Cet ouvrage a été publié avec le soutien de la SODEC. Gouvernement du Québec –
Programme de crédit d'impôt pour l'édition de livres – Gestion SODEC.

Bayard Canada Livres
4475, rue Frontenac, Montréal (Québec) H2H 2S2
Téléphone : 514 844-2111 ou 1 866 844-2111
edition@bayardcanada.com
www.bayardlivres.ca

Imprimé au Canada

Fiches d'activités disponibles sur www.bayardlivres.ca

Quand j'avais quatre ans,
ce que j'aimais le plus au monde,
c'était me faire garder
par mes grands-parents.

Pour eux, j'étais de la grande visite!
Ils possédaient une ferme, à Saint-Ours,
pas très loin de chez nous. Dans leur maison,
ça sentait toujours la bonne soupe.
Ma grand-mère cuisinait mes plats préférés:
poulet rôti et pouding-chômeur.

À la ferme, je pouvais nourrir les poules
et jouer avec le chien Comme-vous.
Comme-vous, c'était le nom du chien.
Quand les gens demandaient:
«Comment s'appelle votre chien?»,
mon grand-père répondait: «Comme-vous».
Les gens s'imaginaient alors que le chien
avait le même prénom qu'eux!
Ça faisait rigoler mon grand-père!
Avec grand-papa,
j'étais heureux comme un roi.

La deuxième chose
que j'aimais le plus au monde,
c'était le livre de mon grand-père.
Après le souper, il me disait:
— Charles, as-tu vu mon livre?
Mon grand-père avait un seul livre,
alors il n'avait pas de bibliothèque.
On cherchait donc le livre partout.
On fouillait sous les coussins du sofa,
dans le porte-revues,
dans la garde-robe de l'entrée
et même dans le panier du chat!

Pauvre livre! Il traînait toujours n'importe où.
Alors il était tout usé. Il n'avait pas vraiment d'images,
même sur la couverture.
Les pages étaient décollées, le papier jauni...
En plus, il était plein de taches
de confiture et de chocolat.
Chez moi, j'avais plusieurs livres.
Des livres d'images exprès pour les enfants,
avec juste une histoire.
Dans le livre de mon grand-père,
il y avait des centaines d'histoires!
Et grand-papa me racontait rarement
la même!

Je me souviens du conte
de l'âne qui faisait
des crottes en or.

De l'histoire du roi qui avait déclenché
une guerre à cause d'un poil de souris.
De celle du diable qui avait acheté
un vélo à roues carrées.

Grand-papa me racontait des histoires
de marins, de chasseurs, de bûcherons.
Il y avait des fées, des lutins et des dragons,
ou alors des facteurs, des cultivateurs...
Je trouvais formidable qu'un seul livre
contienne autant de personnages
et d'aventures!

Quand on avait enfin le livre,
mon grand-père ne s'assoyait pas
sur sa chaise berçante, comme d'habitude.
Il allait sur le vieux sofa réservé pour la visite.
Je m'installais à côté de lui.
Ma grand-mère disait alors:
— Voyons, Ti-Bé!

Mon grand-père s'appelait Rosario.
Mais quand il était petit, son surnom était Ti-Bé.
Grand-papa avait déjà été jeune.
Ma grand-mère s'en souvenait.
Elle répétait:
— Voyons, Ti-Bé, tu ne vas pas encore lire
tes vieilles histoires à Charles!

Moi, j'étais prêt!

J'aimais l'odeur de mon grand-père.
Il sentait la pipe, le bois et la laine,
même en été. Je me collais contre lui
et j'attendais qu'il commence à lire.
Ses histoires étaient très longues.
De temps en temps, il me demandait:
— Charles, es-tu fatigué?
Veux-tu aller te coucher?

— Non, non, grand-papa,
qu'est-ce qui est arrivé après?
Il continuait donc son récit
en tournant les pages du livre.
Je pense qu'il aimait
ces moments-là
autant que moi.

Parfois, je lui demandais de me relire
une de mes histoires préférées,
comme celle de la sorcière
qui se changeait en truie.
Il souriait en cherchant la page.

Puis il me la lisait. J'étais content, mais...
l'histoire n'était pas toujours tout à fait pareille!
Je le grondais un peu:

— Grand-papa, tu m'avais dit que la sorcière
n'avait pas de dents, puis là,
tu dis qu'elle avait les dents croches...
Ou encore:

— Grand-papa, le fils du fermier s'appelait Odilon,
pas Ange-Albert!
Il me répondait en riant:

— Je voulais savoir si tu écoutais!

Ma grand-mère aussi aimait les histoires.
Je le voyais bien! Elle fermait la radio
et elle écoutait en faisant semblant de tricoter.
Elle attendait toujours la fin du conte pour dire:
— C'est assez! Il faut qu'il se couche,
cet enfant-là!

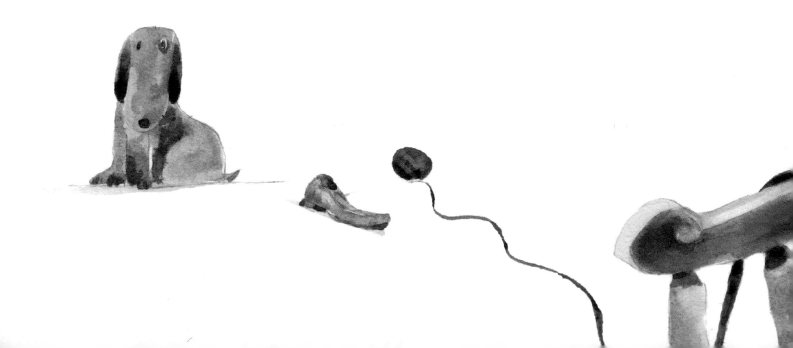

On ne peut pas toujours rester petit!
J'ai eu ma fête de cinq ans, puis de six ans.
Je suis allé à l'école. J'étais fier de savoir lire,
moi aussi. Un beau dimanche, je suis allé
chez mon grand-père. Comme d'habitude,
nous avions cherché son livre partout.
J'ai regardé la couverture et, dans ma tête,
j'ai lu: *Almanach du peuple*. Je ne savais pas
ce que ça voulait dire. Je prononçais «almanache».
Je pensais que c'était un mot magique
comme «Abracadabra».

À mesure que grand-papa tournait les pages,
je lisais, moi aussi:
Calendrier des semences...
Recettes de cuisine...
Prévisions de la météo...

Où étaient les histoires?
Je devais avoir l'air bizarre.
Ma grand-mère a dit:
— Voyons, Ti-Bé,
Charles est trop vieux pour ça...

Trop tard! Mon grand-père
avait déjà commencé un fabuleux récit
de crapaud à lunettes.
Grand-maman m'a alors regardé
avec un air inquiet.

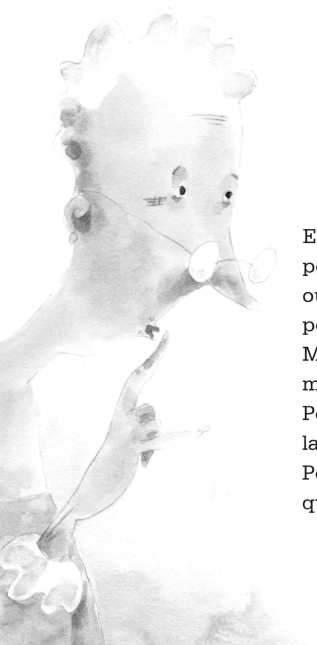

Elle a mis un doigt devant la bouche
pour me dire: «chut!»... juste au moment
où j'allais demander à grand-papa
pourquoi il ne lisait pas pour de vrai...
Mais le «chut!» de grand-maman
m'a fait réfléchir.
Pourquoi grand-papa ne voyait-il pas
la même chose que moi dans son livre?
Pourquoi grand-maman voulait-elle
que je garde le silence?

J'ai alors compris que mon grand-père
ne savait pas lire. Et que ça lui ferait
de la peine que j'en parle.

Je n'avais que sept ans,
mais j'étais quand même futé!
Je n'ai rien dit. Jamais.
J'ai souri à ma grand-mère
pour la rassurer.
J'ai écouté l'histoire
du crapaud jusqu'au bout.
Elle était vraiment comique!

Mais si grand-papa
ne lisait pas les histoires,
où les trouvait-il?
Comment faisait-il
pour se les rappeler?

J'ai appris deux choses, ce jour-là.
D'abord, j'étais très chanceux de savoir lire.
Ça me permettrait de découvrir le monde.
Mais j'ai surtout appris que
même si grand-papa ne savait pas lire,
il avait un grand talent.
Il pouvait inventer
des histoires !

Mon grand-père
Rosario, c'était
un conteur !